¡EUREKA!
BIOGRAFÍAS DE CIENCIA

Perfil científico

Nombre: Isaac Newton

Fecha de nacimiento: 25 de diciembre de 1642

Fecha de defunción: 31 de marzo de 1727

Educación: Trinity College. Cambridge

Sus éxitos más importantes:

• Descubrimiento de las tres leyes del movimiento y de la ley de la gravitación universal, que son los fundamentos de la física moderna.

• Descubrimiento de que la luz blanca está formada por varios colores.

• Invención del telescopio reflectante.

• Descubrimiento de una nueva clase de matemáticas llamada cálculo infinitesimal.

• Cálculo de la velocidad del sonido.

PAPEL ECOLÓGICO
TCF LIBRE DE CLORO

FOTOCOPIAR LIBROS
NO ES LEGAL

LIBRO AMIGO DE LOS BOSQUES
PAPEL PROCEDENTE DE FUENTES RESPONSABLES

Título original: *Isaac Newton and Gravity*
© The Salariya Book Company, Ltd., 2019
Publicado por acuerdo con IMC Agencia Literaria
Texto: Alex Woolf
Ilustraciones: Annaliese Stoney
© Traducción: Josep Franco Martínez, 2020
© Algar Editorial
    Apartado de correos 225 - 46600 Alzira
    www.algareditorial.com
Impresión: Romanyà-Valls

1.ª edición: octubre, 2020
ISBN: 978-84-9142-409-3
DL: V-876-2020

¡EUREKA!
BIOGRAFÍAS DE CIENCIA

ISAAC
NEWTON
Y LA GRAVEDAD

ALEX WOOLF
ANNALIESE STONEY

algar

INTRODUCCIÓN

15 DE ABRIL DE 1726

—A compáñame, William —dijo sir Isaac Newton mientras buscaba su bastón—. Hace una tarde magnífica y necesito hacer ejercicio.

—Por supuesto, sir Isaac, con mucho gusto.

Salieron juntos al jardín de la casa donde vivía sir Isaac, la mansión Woolsthorpe. La tarde era, en efecto, magnífica. Paseaban entre flores de lis, caléndulas y césped, que lucían unos colores preciosos a la luz del sol poniente.

Mientras paseaban, sir Isaac suspiraba. Se había aferrado con fuerza al brazo de William, mientras caminaban muy despacio hacia el huerto.

—Así que quieres escribir la historia de mi vida, ¿no? —preguntó sir Isaac.

—Es lo que quiero, señor.

—No te envidio, si es así. Es una historia muy larga y no siempre alegre. Puedo hablarte de mis primeros años. Por alguna razón, los recuerdo mejor. De los otros años, los más próximos, tendrás que informarte por mis escritos y por las personas que me han conocido...

—Le agradeceré cualquier cosa que me cuente, sir Isaac.

—Muy bien, ¿por dónde quieres que empecemos?

—Por el principio, señor.

Sir Isaac se paró a la entrada del huerto y se apoyó contra la pared para recuperar el aliento.

—Sé muy poco sobre el principio de todo —confesó—. Solo lo que me contó mi madre, que en paz descanse. Nací aquí, en la mansión Woolsthorpe, hace ochenta y tres años, el día de Navidad. Era un bebé muy pequeño, mi madre decía que me hubiera podido guardar en una palangana. No tenía muchas esperanzas de verme sobrevivir.

—Pero, gracias a Dios, sobrevivió, señor. ¿Y qué me cuenta de su padre? ¿Quién era?

—No sé nada de mi padre, excepto que era el propietario de una granja. Murió dos meses antes de mi nacimiento. Cuando yo tenía tres años, mi madre se casó con otro hombre, el reverendo Barnabas Smith, se fue a vivir con él a su casa, en un pueblo próximo que se llama North Witham, y me dejó con mi abuela. No te puedes imaginar lo mal que me encontraba, William, al sentirme abandonado por mi madre cuando era tan pequeño. Pero sí que te puedo decir que aquel episodio de mi vida me marcó para siempre, y por eso, ahora, me cuesta tanto creer en la gente...

Sir Isaac estuvo un buen rato observando una mancha de musgo que había en la pared. Luego dijo:

—Recuerdo una vez, cuando tenía ocho años, que fui caminando desde mi casa a North Witham, un paseo de unos tres kilómetros, que, para mí, era muy largo por aquel tiempo. Mi intención era muy sencilla: quería rescatar a mi madre de las manos del reverendo Barnabas Smith y llevarla conmigo a casa... Cuando llegué a North Witham me dolían los pies. Continué caminando hacia la rectoría, que estaba cerca de la iglesia, donde el reverendo vivía con mi madre. Al llegar, llamé a la puerta. Esperé mucho tiempo, hasta que por fin la puerta se abrió y apareció el reverendo, que se quedó allí de pie, mirándome. Era un hombre viejo, mucho más viejo que mi madre, con el cabello gris, los ojos acuosos y los labios delgados.

»—¿Por qué has venido hasta aquí, niño? —me preguntó.

»—He venido a por mi madre —le dije—. Quiero que se venga conmigo a casa.

CAPÍTULO 1

1651

E l reverendo Barnabas se quedó mirándome sin decir nada. Entonces, la puerta se abrió del todo y apareció mi madre.

—Entra, Isaac —me dijo.

Me besó en la frente y me acompañó al salón, donde me invitó a una taza de chocolate caliente. Me dijo que no debería haber ido solo hasta allí porque mi abuela debía de estar preocupada y que el reverendo me volvería a llevar a casa en su carruaje y el caballo. También me prometió que me visitaría pronto.

Para mí, estaba muy claro que el reverendo Barnabas Smith la había embrujado y que necesitaba que yo la rescatara. Cuando mi madre terminó de hablar, dejé la taza sobre la mesa y, muy tranquilo, le dije:

—No pienso irme sin usted, madre.

EL PADRE DE NEWTON

El padre de Isaac, llamado también Isaac Newton, era un criador de ovejas rico. Vivía en la mansión Woolsthorpe, situada en el pueblo de Woolsthorpe-by-Colsterworth, en el condado de Lincolnshire. Había sido descrito como «un hombre salvaje y extravagante», no sabemos muy bien por qué. Se casó con la madre de Isaac, Hannah Ayscough, cuando tenía treinta y cinco años. Poco tiempo después, se puso enfermo y murió. La viuda y su hijo, que aún no había nacido, heredaron la granja y la mansión Woolsthorpe. El padre de Isaac firmó su testamento con una X porque, como la mayoría de las personas de aquel tiempo, no sabía leer ni escribir.

Barnabas abrió la boca con la intención de protestar, pero mi madre le hizo callar. Yo creí que me diría: «Isaac, hijo mío, perdóname. Ahora veo que he sido una mala madre. Puedes estar seguro de que volveré contigo».

Pero, en lugar de eso, me dijo:

—Isaac, debes entender que no puedo volver contigo. Tengo que vivir con mi marido, en nuestra casa.

Noté un pinchazo muy cruel en la boca del estómago, un dolor que apenas me dejaba respirar. Me había equivocado. El reverendo no había embrujado a mi madre con ninguna clase de magia, ni la tenía prisionera: la verdad era que no me quería. Creí que mi corazón ya no podría latir más. Estaba tan tenso que creí que reventaría como una bota llena de aire. Las lágrimas querían salir de mis ojos, pero no quería que ni mi madre ni el reverendo lo notaran, de manera que escapé de aquella casa.

Mi madre corrió a perseguirme, pero me escondí tras una pared y, al cabo de un rato, ella se cansó de buscarme y volvió a entrar en la casa. En aquellos momentos, me sentía más triste que enfadado. Decidí vengarme de mi madre y del reverendo. En un patio que había detrás de la

LA GUERRA CIVIL

El año en el que nació Newton, estalló una guerra civil en Inglaterra entre las fuerzas del rey Carlos I (los realistas) y los partidarios del Parlamento inglés (los parlamentaristas). Los ejércitos enemigos protagonizaron batallas y escaramuzas en varios lugares del país y también en el condado de Lincolnshire, donde vivían los Newton. Ganaron los parlamentaristas, y, en el año 1649, cuando Newton tenía seis años, el rey Carlos fue ejecutado. El nuevo dirigente inglés fue Oliver Cromwell, conocido con el título de *Lord Protector*.

rectoría encontré un montón de troncos apilados junto a la puerta de la cocina.

Entré en la cocina para asegurarme de que no había criados por los alrededores. Robé un candil que había colgado de una pared y unas cuantas brasas de la chimenea, lo saqué todo al patio y prendí fuego a los troncos.

Cuando las llamas empezaron a consumir los troncos, yo sonreía satisfecho. Enseguida, el fuego llegaría a la madera de las paredes y la casa entera empezaría a arder. Imaginé que, al oler el humo, mi madre y el reverendo se morirían de miedo. Mi madre saldría corriendo de la casa en llamas y me vería allí, de pie. Entonces comprendería lo mal que se había portado conmigo y caería de rodillas a mis pies, para pedirme perdón.

Mientras yo imaginaba aquella escena, el fuego continuaba quemando la madera. Entonces, un tronco rodó y estuvo a punto de quemarme el pie. En ese momento comprendí lo peligroso e imprevisible que podía ser el fuego. De repente, me entró mucho miedo...

Después de aquella experiencia terrible, ya no me sentía tan enfadado. En realidad, lo que sentía ahora era curiosidad. Mientras yo corría arriba y abajo por el patio, el agua salía por un agujero del cubo. Salía con fuerza hacia un lado y, enseguida, caía al suelo. ¿Qué fuerza hacía que el agua se inclinara tan deprisa hacia el suelo? ¿Podía ser la misma fuerza que me mantenía a mí, y a cualquier otra cosa, pegado a la Tierra? Aquellas preguntas ocuparon mi pensamiento durante las horas y los días posteriores al incendio y la verdad es que me ayudaron a olvidar mis problemas.

Me intrigaban tanto aquellos misterios que decidí llevarme el cubo a casa. Cuando llegué a Woolsthorpe, me sorprendí al ver que mi madre y el reverendo ya me esperaban. Mi madre me abrazó muy fuerte y me dijo que lo sentía mucho. Que no se lo hubiera perdonado nunca si me llega a pasar algo malo. Yo me sentía muy bien entre sus brazos cálidos y amorosos y también me sentía culpable por lo que había intentado. Al cabo de un rato, ella y el reverendo nos dijeron

ARISTÓTELES

En la época en la que vivió Newton, nadie sabía por qué los objetos caían al suelo. La mayoría de la gente aceptaba una teoría del antiguo pensador griego Aristóteles, que consideraba que los objetos caían por su propio peso, no porque los atrajera alguna fuerza externa. Por eso, aseguraba, los elementos ligeros, como el fuego, se movían hacia arriba, y los objetos pesados, como los metales, caían hacia el suelo.

19

adiós y regresaron a su casa. Yo me sentía triste
al ver cómo se iba, pero ahora tenía otras ideas
en la cabeza. Había pensado que podía hacer
una prueba con el cubo y estaba impaciente
por intentarlo. Aquel mismo día, algo más tarde,
mi abuela me ayudó a llevar a cabo mi primer
experimento sobre la naturaleza del universo.

Primero, llené el cubo de agua. Luego, le pedí
a mi abuela que sostuviera el cubo lleno desde
una ventana del primer piso. La abuela tapaba
el agujero con su dedo pulgar, para impedir que el
agua se derramara. Mientras, yo bajé, me puse
debajo de la ventana y le dije:

—¡Ya puede destapar el agujero, abuela!

Así lo hizo y el agua empezó a salir por el
agujero y mojó al pobre gato, que estaba tomando
el sol en el jardín.

—¡Perfecto! —dije—. Ahora vuelva a tapar el
agujero con el dedo.

—¡Impresionante, Isaac! —dijo mi abuela—. Has
demostrado que los gatos odian el agua.

—No solo eso, abuela —le dije yo—. También he

demostrado que alguna fuerza hace que el agua salga del cubo, pero usted es bastante fuerte para resistirla.

—Yo siempre he sabido que soy muy fuerte —sonrió mi abuela—. Y ahora que lo has demostrado, ¿nos tomamos un té?

—Aún no hemos terminado el experimento —le respondí—. Ahora quiero que deje caer el cubo.

—¿Que deje caer el cubo? De acuerdo, allá va.

La abuela dejó caer el cubo y entonces vi algo que me sorprendió.

—¿Lo ha visto, abuela? —grité—. Mientras el cubo caía, el agua no salía por el agujero...

La abuela no pareció entusiasmarse demasiado.

—¿Y qué? ¿Qué demuestra eso?

Mi experimento demostraba que mientras el cubo y el agua caían al mismo tiempo, la fuerza misteriosa no hacía salir el agua por el agujero porque el agua y el cubo caían a la misma velocidad. Comprendí eso, en un nivel muy básico, incluso a la tierna edad de ocho años. Aún faltaban muchos años para que entendiera

el significado profundo de mi descubrimiento
y supiera que aquella fuerza tenía un nombre:
gravedad.

- El padre de Isaac Newton murió antes de que él naciera.
- Cuando Isaac tenía tres años, su madre se marchó a vivir con su nuevo marido, el reverendo Barnabas, y dejó a su hijo con su abuela.
- Isaac sentía mucha rabia contra su madre y su padrastro.
- Cuando solo era un niño, a Isaac ya le gustaba hacer experimentos para descubrir cómo funcionaba el mundo.

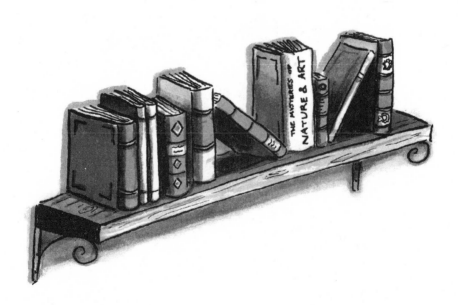

CAPÍTULO 2

1655

Cuando yo tenía doce años, el reverendo Barnabas murió. No puedo decir que la noticia me entristeciera. De hecho, me alegró mucho porque eso quería decir que mi madre volvería conmigo. Se vino a vivir con mi abuela y conmigo, con los tres hijos pequeños que había tenido durante su matrimonio con Barnabas. Se llamaban Benjamin, Mary y Hannah, y su llegada alteró la paz de Woolsthorpe. De repente, las habitaciones y los corredores, antes siempre tranquilos, se llenaron de gritos alegres y de ruido de pies que corrían.

Mis hermanastros me adoraban y me seguían allá donde iba pidiéndome que jugara con ellos. A veces los encontraba insoportables, sobre todo cuando quería leer. Pero la mayoría de las veces me divertía mucho con ellos. Les fabricaba juguetes sencillos, como, por ejemplo, un pito hecho con una ramita de sauce o unos dados hechos con huesos de oveja. A veces les entretenía con dibujos de máquinas imaginarias.

Recuerdo con mucho afecto aquella época de mi vida. Desgraciadamente, no duró mucho tiempo. Seis meses después de que mi madre volviera a Woolsthorpe, me enviaron a la ciudad de Grantham para continuar mis estudios. Aquella no fue mi primera experiencia educativa. Desde que tenía siete años, asistía a la *dame school* que dirigía la señorita Harris, una mujer del pueblo. Allí aprendí a leer mientras estudiaba la Biblia. La señorita Harris también nos hacía cantar las tablas de multiplicar. En aquel momento, lo encontraba aburridísimo, pero las cancioncillas interminables impactaron tan profundamente en el interior de mi cerebro que no he olvidado nunca las tablas, y esto me ha ayudado mucho a lo largo de mi vida.

Grantham estaba a más de ocho kilómetros de Woolsthorpe, una distancia demasiado larga para poder ir y volver cada día. De manera que mi madre lo arregló para que me alojara en la casa del señor William Clarke, el farmacéutico. El señor Clarke vivía en el piso de arriba de la farmacia en la calle principal de Grantham, con su esposa y sus tres hijastros. Sus nombres eran Edward, Arthur y Katherine. No me gustaban ni Edward ni Arthur, que eran ariscos y traviesos, hablaban demasiado y no escuchaban nunca. Yo era muy diferente. Como me había criado en un pueblo pequeño y con poca compañía, excepto la de mi abuela, no estaba acostumbrado a tratar con la gente y, cuando me reunía con más personas, solía estar tranquilo. La única hija del señor Clarke con la que tenía buena relación era Katherine, aunque era dos años menor que yo.

En la escuela de gramática de Grantham, estudié latín, la Biblia y literatura clásica. Eran materias que no me interesaban y por eso no les dedicaba la atención que merecían. El resultado es que los informes escolares me describían como un alumno ocioso y poco atento. Aquella descripción hubiera podido resumir mi vida escolar, pero en otros momentos, fuera de la escuela, era todo lo contrario. Cuando tenía tiempo libre, ayudaba al señor Clarke en la farmacia. Me enseñó a triturar varios ingredientes con un mortero y una macilla y cómo debía asarlos o hervirlos para preparar unas tortas que secábamos al sol para hacer medicinas. Durante un tiempo, creí que yo también sería farmacéutico. Hasta llené un cuaderno con remedios y curas.

Además de ayudar al señor Clarke a fabricar medicinas, mi otra pasión eran las máquinas. Por aquel tiempo, la ciudad de Grantham estaba construyendo su primer molino de viento.

ESCUELAS DE GRAMÁTICA

Las primeras escuelas de gramática se establecieron aproximadamente en el siglo XI para enseñar a los hombres jóvenes la gramática latina. Hacia el año 1300, la mayoría de las ciudades europeas tenían, al menos, una escuela de gramática. El libro de texto más utilizado por aquel entonces era *Ars Minor*, de Aelius Donatus, que enseñaba las normas para hablar y escribir bien el latín. En la época de Newton, el currículum se había ampliado para incluir los estudios de griego antiguo y de la Biblia, pero aún no incluía matemáticas, historia, geografía ni ciencias. Los estudiantes pasaban por diversos grupos o clases, y superar un curso y pasar al siguiente no dependía de la edad, sino de las habilidades de cada estudiante.

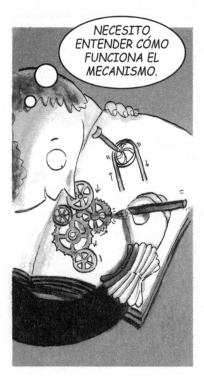

LA MEDIDA DEL TIEMPO

El reloj mecánico fue inventado en Europa a finales del siglo XIII. Los primeros relojes funcionaban gracias a unas piezas móviles. Eso los hacía muy pesados y, normalmente, solo los había en las iglesias. Hacia 1450, empezaron a utilizarse los muelles y esto permitió construir relojes más ligeros. Los primeros relojes personales o domésticos aparecieron a lo largo del siglo XVI, pero resultaban muy caros. En 1675, cuando Isaac Newton tenía catorce años, Christiaan Huygens inventó el reloj de péndulo, un instrumento muy preciso. Pero la mayoría de las personas continuaban midiendo el tiempo por la posición del Sol en el cielo o confiaban en las campanas de las iglesias para saber la hora que era.

Katherine estaba encantada con mi modelo de molino de viento y me pidió que le fabricara algunos muebles para sus muñecas. De manera que construí algunas mesas y sillas muy pequeñas para que jugaran ella y sus hermanos. Yo lo pasaba muy bien haciendo aquello que, además, me permitía ir mejorando mis habilidades con algunas herramientas, pero mi auténtica pasión era fabricar instrumentos mecánicos. Mi siguiente proyecto era fabricar un reloj de agua. Tenía una aguja que marcaba las horas sobre una esfera con los números pintados. Cuando lo terminé, se lo regalé al señor Clarke. Le gustó mucho y lo instaló en la farmacia para que lo admiraran sus clientes. Luego, construí un carrito con cuatro ruedas que funcionaba gracias a una manivela que yo accionaba desde el asiento del carrito. Cuando Katherine y sus hermanos lo vieron, todos quisieron dar una vuelta. Pero mi carrito, por desgracia, no era lo suficientemente fuerte como para sobrevivir a su enérgica manera de conducir y se rompió muy pronto.

A pesar de que me divertía mucho ayudando al señor Clarke en la farmacia y construyendo mis aparatos en la habitación que tenía en el ático, aún odiaba las horas que pasaba en la escuela. Los profesores se habían cansado de mí y me convertí en uno de los peores alumnos. Si hubiera podido estudiar matemáticas o ciencias, lo hubiera hecho mejor, pero las clases de latín y la lectura de los clásicos me parecían muy aburridas. Me aburría tanto en aquellas clases que un día lo dediqué a grabar mi nombre en el alféizar de una ventana.

Curiosamente, fue un incidente que sucedió fuera de la escuela el motivo que me hizo cambiar de actitud a propósito de mi educación. Como ya he comentado, no tenía buenas relaciones con los hijos del señor Clarke, Edward y Arthur, pero Arthur era el peor de los dos. Por alguna razón, mi serenidad le irritaba y también mi buena relación con su hermana. Arthur dijo a mis compañeros de clase que yo era un mentiroso, un impostor que no decía nunca la verdad. También dijo a sus amigos que yo prefería la amistad de

PINTADAS

El nombre de Isaac Newton se puede leer
aún en la actualidad, grabado en el
alféizar de piedra de una ventana de la
escuela de Grantham. La gente decía que se
podía leer su nombre en todos los pupitres
en los que se sentó, pero los pupitres no
han llegado a nuestros días. El nombre de
Isaac también aparecía escrito en algunas
paredes. El señor Clarke debía de ser un
hombre muy tolerante porque permitió que
Isaac decorara las paredes del ático donde
vivía con dibujos de animales fantásticos,
además de caricaturas del rey Carlos I y
del director de la escuela, el señor Henry
Stokes. También se han descubierto dibujos
al carboncillo de pájaros, animales,
hombres, barcos, plantas y figuras
geométricas en las paredes de la mansión
Woolsthorpe. El papel era muy caro por aquel
tiempo, de manera que las paredes y algunas
otras superficies se convirtieron en lienzos
para la creatividad del joven Isaac.

LOS PURITANOS

Oliver Cromwell, que gobernó Inglaterra
desde 1649 a 1658 era un puritano,
un practicante muy estricto del
protestantismo. Mientras él gobernó,
los puritanos impusieron un código muy
estricto a todos los habitantes del país.
Los puritanos restringieron cualquier
clase de diversión pública. Cerraron
muchas tabernas y teatros, y la mayoría
de los deportes estaban prohibidos. Las
mujeres tenían que vestir con sobriedad
y no podían maquillarse. Los domingos
estaban reservados para asistir a
la iglesia y los jóvenes a quienes
sorprendían jugando al fútbol podían
ser azotados. Un día de cada mes, todos
estaban obligados a ayunar, es decir, a
no comer.

las niñas, de manera que cuando nos veíamos, me insultaban y se burlaban de mí.

La crueldad de Arthur llegó al límite una mañana de febrero de 1657. Edward había perdido un hueso de cereza que le daba suerte y Arthur me acusó enseguida de haberlo robado. Yo lo negué y Edward estaba convencido de que no era yo, pero Arthur continuó acusándome de ser el culpable.

Aquella mañana, cuando íbamos hacia la escuela, Arthur se dio la vuelta de repente y me dio un golpe muy fuerte en el estómago. Caí al suelo, acurrucado de dolor.

—Eso les pasa a los ladrones —dijo Arthur mientras huía deprisa.

Ya no pude más. Esperé a que terminara la escuela y desafié a Arthur a un combate en el patio de la iglesia. Sus amigos formaron un gran círculo a nuestro alrededor mientras le animaban. Arthur era más grande y más fuerte que yo, aunque no se podía mover a mi velocidad. También había menospreciado la rabia que me quemaba la sangre y las ganas que tenía de darle una lección. Esquivé su primer puñetazo y le di un golpe fuerte en la mejilla. Cuando intentó pegarme por segunda vez, hice que le saliera sangre por la nariz. Temblando de furia, Arthur me atacó por tercera vez, pero cayó al suelo, de espaldas. Enseguida me abalancé sobre él y le puse la cara contra la pared de la iglesia, hasta que empezó a suplicarme que le dejara.

Mientras Arthur gemía, derrotado, yo miraba las caras de los compañeros de clase que nos rodeaban. Creía que a partir de aquel día me respetarían más, pero creo que sucedió lo contrario y que aún me odiaban más que antes. Entonces comprendí que nunca me ganaría el respeto de aquellos niños, por lo que decidí combatirlos no física, sino académicamente. Puede parecer una conclusión un poco inocente, pero aquella fue la mejor manera de motivarme para mejorar en la escuela.

A partir de aquel día empecé a trabajar más y a estudiar con más ganas. Mejoré mucho en latín y

TAQUIGRAFÍA

La taquigrafía era una forma de escritura que se utilizaba en el siglo XVII. Por aquel tiempo, escribir era un trabajo muy difícil porque había que mojar la pluma en un tintero, de manera que cualquier técnica que permitiera escribir más deprisa resultaba práctica. Isaac Newton utilizaba un sistema inventado per Thomas Shelton. Aquel hombre ideó un símbolo para cada consonante. Por ejemplo, una línea vertical simbolizaba la b y un semicírculo invertido representaba la l. El sonido de la vocal que había entre las consonantes debía representarse por la posición respecto de las consonantes, la a ocupaba la posición más alta y la u, la más baja. El ejemplo siguiente muestra cómo se escribían algunas sílabas.

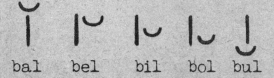

bal   bel   bil   bol   bul

en griego, idiomas que, en el futuro, me permitirían leer los trabajos de los mejores estudiosos europeos. También aprendí taquigrafía, un método de escritura rápida que me resultó muy útil a lo largo de mi vida. Cuando el curso acababa, yo era el primero del colegio y un alumno distinguido.

El director de la escuela, Henry Stokes, se fijó en mi progreso. Me dijo que si continuaba estudiando con interés, podría llegar a ser un erudito algún día. La idea de dedicar mi vida al estudio me gustó mucho. Por eso le comenté que me gustaría mucho estudiar matemáticas. Aquella asignatura no formaba parte del currículum, pero el señor Stokes aceptó ayudarme a aprender todas las matemáticas que él sabía.

A pesar de que ahora tenía que estudiar más, aún me quedaba tiempo para mis experimentos y para inventar aparatos mecánicos. Uno de los experimentos lo hice en una pared de la farmacia del señor Clarke. Yo había observado cómo el sol iluminaba aquella pared y cómo la luz iba cambiando cada hora, y cada día y cada semana.

Fui marcando las líneas hasta donde llegaba la luz con unas cuñas de madera que clavaba en la pared. A medida que los días se iban alargando durante la primavera y se acortaban durante el otoño, fui cambiando la posición de las marcas, y así terminé construyendo un reloj de sol bastante preciso. Algunas personas de Grantham bautizaron aquel invento como el Reloj de Isaac y a veces iban allí a saber la hora que era.

- Isaac se fue a estudiar a la escuela de gramática de Grantham.
- Se hospedaba en la casa del farmacéutico, el señor William Clarke.
- Al principio, Isaac no iba muy bien en la escuela, pero después de un enfrentamiento con uno de los alumnos, cambió su actitud. Comenzó a estudiar más y terminó convirtiéndose en el mejor alumno.
- Durante su tiempo libre, Isaac construyó aparatos mecánicos, como un molino de viento, un reloj de agua y un reloj de sol.

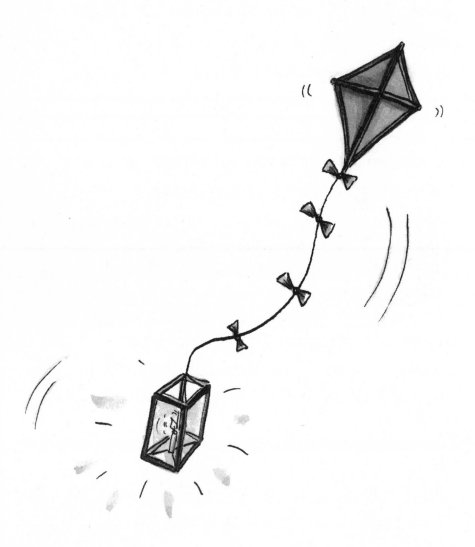

CAPÍTULO 3

1658

Un día gris de septiembre, durante el tercer año que pasé en Grantham, una tempestad terrible cayó sobre el condado de Lincoln. El viento soplaba con fuerza y la lluvia repicaba contra los cristales de las ventanas de nuestra clase mientras los relámpagos rasgaban el cielo y los truenos resonaban en lo alto. Algunos niños tenían tanto miedo que no salieron al patio durante el recreo. Otros estaban muy alterados por el tiempo y corrían alegres bajo la lluvia. Para mí, aquello era una nueva oportunidad de hacer experimentos.

El viento era una fuerza muy poderosa y yo
tenía muchas ganas de estudiarlo. En primer lugar,
salté contra el viento y marqué la distancia con un
trozo de carboncillo. Luego, salté a favor del viento
y volví a poner una marca en el lugar donde había
caído. Lo hice unas cuantas veces y, luego, comparé
aquellas marcas con las distancias que había
saltado cuando no soplaba el viento. Vi que el
viento me había ayudado a saltar un pie entero
más que normalmente, más de treinta centímetros.

Cuando el otoño dejó paso al invierno, las
noches se hicieron más largas y, al ir o regresar
del colegio, era siempre de noche. Un atardecer,
ya bastante tarde, cuando volvía hacia casa en
plena oscuridad, tropecé con una piedra suelta
del pavimento y me hice una herida en la rodilla.
Cuando se lo conté a Katherine, me sugirió que
me comprara una linterna. Creí que era una
buena idea, y se convirtió en un nuevo proyecto.
Construí unos marcos de madera y puse una vela
en la base, luego cubrí los marcos con papel de
seda que me dio el señor Clarke, que lo utilizaba

para envolver medicinas. Cuando la encendía, la vela lucía preciosa, en el interior de los papeles translúcidos.

LA EDUCACIÓN DE LAS NIÑAS

Durante el siglo XVII, la mayoría de las chicas no recibía ninguna clase de educación. Aprendían a realizar los trabajos domésticos con sus madres y normalmente se quedaban en casa de sus progenitores hasta que se casaban. En las grandes ciudades, algunas chicas servían en las casas de las familias ricas. Tanto las criadas como las hijas de los comerciantes solían aprender algunas cosas prácticas, como hacer cuentas, llevar una tienda o trabajar en una lechería. Algunas chicas conseguían aprender un oficio y se dedicaban a coser o a bordar.

—Es preciosa —declaró Katherine cuando vio mi linterna y yo sonreí, orgulloso.

Por aquel tiempo tenía trece años y ya no quería ser una niña que jugaba con muñecas. Había madurado y se había convertido en una joven brillante, con mucha imaginación, que deseaba de todo corazón poder asistir a la escuela, como sus hermanos y yo.

Cada día, se asomaba a la ventana de su habitación, esperando para verme llegar por la calle arriba, con la linterna bailando a mi lado. En cuanto llegaba, ella empezaba a hacerme preguntas sobre todo lo que había aprendido aquel día. De todas las personas que había conocido hasta aquel momento de mi vida, era con Katherine con quien más fácil y más divertido me resultaba conversar, por eso esperaba cada día con impaciencia nuestras conversaciones.

Ella tuvo la idea de atar la linterna a la cola de una cometa. Una noche salimos al tejado desde la ventana de mi habitación. Ella encendió la linterna y yo hice subir la cometa hacia el cielo, con la linterna bien atada. Poco tiempo después oímos suspiros de sorpresa y gritos de temor que procedían de la calle. Al día siguiente reímos mucho al saber que la gente del vecindario creía haber visto un cometa, que era una señal de desgracias y mala suerte. A partir de aquel día, todos temían que Grantham estaba a punto de afrontar una desgracia terrible, como el hambre, una plaga o una inundación... ¡Y todo por culpa de nuestra linterna!

Pero aquella noche, cuando Katherine y yo estábamos sentados en el tejado, uno junto a la otra, no pensamos en ningún momento en la reacción de las demás personas. Observábamos aquella luz preciosa que volaba por encima de nuestras cabezas como una estrella que había escapado del cielo. Katherine se me acercó y yo le puse el brazo por encima del hombro. Ella me inspiraba una ternura que era completamente nueva para mí.

—Me gustaría ser la linterna y volar libre por el cielo —suspiró.

—Eso no es posible, Kat —le aseguré—. Pesas demasiado y hay una fuerza que atrae hacia la tierra todos los cuerpos que pesan.

—¡Tú sí que sabes romper los sueños de una chica, Isaac Newton! —rio.

Mientras el año 1659 avanzaba, me sentía muy feliz con la vida que llevaba en Grantham. Iba muy bien en la escuela, gracias a los ánimos y la ayuda del director, el señor Stokes. En casa, continuaba fabricando máquinas y me divertía en compañía de Katherine. Y ni Arthur ni Edward me habían vuelto a molestar más desde aquel día que le planté cara a Arthur en el patio de la iglesia.

Pero lo mejor de aquella felicidad era que había descubierto la biblioteca del señor Clarke. Detrás de la farmacia había una habitación llena de libros, donde comencé a familiarizarme con la obra de escritores como Francis Bacon o René Descartes. El más divertido de todos me pareció un libro titulado *The Mysteries of Nature and Art* ('Los misterios de la naturaleza y el arte'), escrito por John Bate. Era una guía práctica para hacer experimentos, con algunas lecciones que fueron muy importantes para mí a lo largo de mi vida como filósofo de la naturaleza.

Pasaba horas solo en aquella biblioteca donde me sentía completamente feliz. Así comprendí que aquel era mi mundo: yo solo con la sabiduría de los eruditos y los ingenieros. Pero el mes de marzo de aquel año, una carta de mi madre destrozó mi felicidad. Me escribió para informarme de que, como ahora ya tenía dieciséis años, había llegado el momento de dejar la escuela y volver a Woolsthorpe. Ella ya era vieja, me comentaba, y necesitaba que alguien la ayudara a llevar el negocio. Como yo era el único hijo de mi padre, tenía la obligación de ocuparme del bienestar de la familia. En otras palabras: me tenía que convertir en un criador de ovejas.

EL LIBRO DE BATE

The Mysteries of Nature and Art ('Los misterios de la naturaleza y el arte'), publicado en el año 1634, fue un libro notable que encendió la imaginación del joven Isaac Newton. El siglo XVII fue un tiempo de grandes progresos en los campos de la mecánica y la química, y muchos de aquellos descubrimientos se describen y se ilustran en el libro de Bate. La sección dedicada a los trabajos relacionados con el agua muestra bombas, relojes de agua, fuentes, sifones y molinos de agua. En la sección dedicada a los trabajos con el fuego, Bate explica cómo fabricar petardos, cohetes y ruedas de fuego. Además de algunos inventos prácticos, Bate incluye en su libro algunos proyectos extraños, como un dragón volador y una máquina que imita el canto de los pájaros.

Aquella idea me horrorizaba. El señor Stokes me había animado a creer que algún día podría ir a la universidad y convertirme en un erudito, y mis lecturas en la biblioteca del señor Clarke habían hecho crecer aquella ambición en mi interior. Pero ahora parecía que mi destino era convertirme en un pastor de ovejas en unos campos embarrados.

Por supuesto, hice todo lo que estaba en mis manos para impedir que mi madre hiciera realidad sus planes y le rogué que me permitiera continuar en la escuela hasta que completara mi formación. Hasta le pedí al señor Stokes que escribiera a mi madre para convencerla y él lo hizo, muy amablemente, para contarle que yo era un estudiante que prometía mucho. Mi madre no era una mujer con una buena educación y no veía ningún motivo para dejarme ir a la universidad. Ya había perdido dos maridos, tenía tres hijos pequeños a los que debía ayudar a crecer y consideraba que mi deber era ayudarla.

De manera que, con todo el dolor de mi corazón, volví a Woolsthorpe. El mes de octubre ya lo pasé en el campo, con las ovejas. Era un pastor terrible, posiblemente el peor pastor del mundo. En realidad, nunca me interesó aquel oficio y mi cabeza siempre estaba en otra parte. En lugar de cuidar los rebaños, me apoyaba en alguna cerca y me dedicaba a leer algún libro o me entretenía buscando las hierbas medicinales que crecen en el campo. Mientras las ovejas pisaban la cebada de mis vecinos, yo construía molinos de agua en los riachuelos o estudiaba el movimiento sutil del agua entre las piedras. Me castigaban por no cumplir con mis obligaciones. El ayuntamiento me hizo pagar una multa importante por no haber reparado las vallas de mis campos y permitir así que las ovejas escaparan. Pero, a pesar de todo, yo continué decidido a hacer lo que me gustaba. Los días que había mercado en Grantham y tenía que llevar los productos de mi granja para venderlos, dejaba a uno de los criados en la parada y pasaba el día leyendo en la biblioteca del señor Clarke.

Los trabajadores de la granja y nuestros vecinos se quejaban a mi madre de mi comportamiento. Ella me lo contaba, enfadada, pero no servía para nada. Ni siquiera mi madre, con su mal genio y su voluntad de hierro, me pudo convertir en un granjero decente. La situación era ya desesperada. Yo odiaba aquella vida, pero no podía hacer nada para cambiarla.

Finalmente, dos hombres me rescataron. El primero fue William Ayscough, el hermano de mi madre. Había observado con mucho disgusto lo mal que funcionaba la granja. Pero también había oído hablar de mis habilidades académicas y le rogó a mi madre que lo pensara mejor y que me permitiera continuar estudiando. William era clérigo y se había graduado en el Trinity College de la Universidad de Cambridge. Nos dijo que podía utilizar su influencia para conseguirme una plaza en aquella institución.

UN DÍA, EL JOVEN GRANJERO ISAAC VOLVÍA A CASA DESDE GRANTHAM...

NO ME PODRÁS SUBIR POR ESTA CUESTA.

El otro hombre que me ayudó fue el viejo director, el señor Stokes, que volvió a intentar convencer a mi madre para que me permitiera completar mi educación. Le habló de mis inventos y de mi original mentalidad y le aseguró que sería una gran pérdida para la humanidad «quemar un talento tan poco habitual en negocios rústicos», que quería decir *viviendo en el campo*. Incluso le dijo que no tendría que pagar los cuarenta chelines de la cuota si me permitía volver a la escuela.

Tal vez fue aquella oferta de educarme sin pagar la razón principal del cambio de opinión de mi madre, que finalmente accedió. Y, así, terminó mi corta e infeliz carrera de pastor de ovejas. Los criados se alegraron al verme partir y me declararon inepto para todo, excepto para la universidad. En el otoño del año 1660, volví a Grantham y me quedé en la casa del señor Stokes.

Mi segunda etapa en la escuela de Grantham duró exactamente nueve meses. Pasé la mayor parte de aquel tiempo con el señor Stokes, que

HENRY STOKES

Nacido en Melton Mowbray, hijo de
un herrero, Henry Stokes fue el
director de la escuela de Grantham
desde 1650 a 1663. Stokes tenía una
formación matemática poco habitual
por aquellos tiempos y esto le permitió
enseñar al joven Isaac Newton algunos
conceptos nuevos, como la resolución
de raíces cúbicas, la trigonometría y
la geometría. Aquellos conocimientos
ayudaron mucho a Newton cuando
ingresó en Cambridge. Stokes murió
en el año 1673, antes de que Newton
publicara sus trabajos más importantes,
de manera que no vivió para comprobar
que su estudiante se convertía en un
genio de la ciencia famoso y respetado.

se encargó personalmente de prepararme para ingresar en el Trinity College. Yo me sentía muy agradecido con el director por la fe que había depositado en mí y quise pagarle aquel favor poniendo toda mi energía en los estudios.

Naturalmente, ya no tenía tanto tiempo para hacer cohetes y linternas, ni para Katherine. La visitaba tan a menudo como podía y continuábamos siendo buenos amigos, pero nuestras conversaciones ya no fluían con la misma facilidad que antes. Yo notaba que nos habíamos distanciado, como dos planetas que orbitaban alrededor de dos soles diferentes. Los dos éramos desgraciadamente conscientes de que no tardaría en marcharme a un lugar al que ella no podía seguirme. Ella parecía aceptarlo con resignación, pero a mí me ponía muy triste porque sabía que echaría mucho de menos su voluntad, su imaginación y sus ganas de aventura. Tal vez yo ya imaginaba que nunca volvería a encontrar una mujer como ella y, de hecho, nunca la he encontrado.

KATHERINE STORER

Por las informaciones de que disponemos, Isaac Newton solo mantuvo una relación sentimental en su vida y fue con la hijastra de William Clarke, Katherine Storer. El propio Newton nunca habló de ella, aunque sí que la nombró como una de sus amigas de Grantham, pero la que más tarde se habría de convertir en la señora Vincent, sí que habló de la cálida relación sentimental que Isaac y ella compartieron cuando eran jóvenes. Él siempre fue, en opinión de Katherine, un «joven serio, silencioso y sobrio».

El señor Stokes siempre fue un tutor excelente y yo era un estudiante con interés y ganas de aprender. Superé con facilidad el examen de ingreso a la universidad y, en junio de 1661, llegó el momento de irme. El último día que pasé en la escuela, el señor Stokes me hizo salir ante toda la clase. Pronunció un discurso muy emocionante para explicar a los alumnos cómo yo había llegado a conseguir un éxito tan grande y les animó a seguir mi ejemplo. Mientras hablaba, noté que el director estaba a punto de llorar, pero aún me sorprendió más la reacción de algunos compañeros de clase que parecían tristes por mi marcha. Noté cómo había cambiado su actitud desde aquel día que me vi obligado a pelearme con Arthur en el patio de la iglesia.

Al día siguiente, regresé a Woolsthorpe para despedirme de mi familia y llevarme algunas cosas que necesitaba. Luego, emprendí el camino hacia el sur que me llevaría a Cambridge.

- Isaac Newton siente una inclinación romántica por Katherine.
- Isaac descubre la maravillosa biblioteca del señor Clarke.
- La madre de Isaac, Hannah Ayscough, le ordena dejar la escuela y volver a casa para dirigir la granja de la familia.
- Isaac se convierte en el peor granjero del mundo. El hermano de Hannah, William Ayscough, y el director de la escuela, Henry Stokes, convencen a Hannah para que deje que Isaac vuelva al colegio.
- Isaac aprueba el examen de ingreso en el Trinity College de Cambridge.

CAPÍTULO 4

1661

C ambridge es una ciudad pequeña, unas cien veces menor que Londres. Pero, a pesar de todo, aún era un lugar muy grande y muy peligroso para un joven que venía del campo, como yo. Me maravilló la diversidad de personas que había, sus idiomas y acentos diferentes y su manera de vestir, extraña y multicolor. Me sentía muy fuera de lugar, y algunas veces, sobre todo durante las primeras semanas, estuve a punto de volver a casa.

El peor problema era que mi madre,
aunque tenía dinero, se había negado a darme
lo necesario para cubrir mis necesidades.
Continuaba pensando que la educación era una
manera de perder el tiempo y se negaba a invertir
dinero en mi formación. Por eso me vi obligado
a ingresar en el Trinity College en condición de
becario. Un becario era un estudiante de segunda
categoría, que se tenía que ganar la vida haciendo
de criado de algún profesor o de algún estudiante
rico. De manera que, mientras los demás
estudiantes podían descansar o leer, yo tenía que
servir mesas o hacer recados.

Comencé a vivir en Cambridge en un momento
muy interesante. En el mundo se discutían nuevas
ideas a propósito del universo y se escribía y se
discutía mucho sobre el tema. Muchas personas
habían empezado a aceptar la idea, difundida
al principio por Nicolás Copérnico, de que tanto
la Tierra como los planetas próximos viajaban
alrededor del Sol, una idea que contradecía la
teoría tradicional, expresada por los pensadores

TRINITY COLLEGE

La institución fue fundada por el rey Enrique VIII en el año 1546, cuando reunió dos centros de estudios anteriores, el King's Hall y el Michaelhouse. Las partes más antiguas del Trinity datan del siglo XIV. La universidad creció rápidamente, tanto en dimensiones como en importancia, durante los primeros cien años. Entre los graduados de aquella institución, los había muy famosos, como Francis Bacon y el conde de Essex. Durante la guerra civil inglesa (1642–1651), la universidad respaldó mayoritariamente el movimiento de los realistas, y, cuando perdieron, los vencedores purgaron de la institución a más de cuarenta profesores importantes.

griegos Aristóteles y Ptolomeo, de que todos los cuerpos celestiales orbitaban alrededor de la Tierra.

La teoría de Copérnico había sido demostrada por las observaciones de varios astrónomos equipados con telescopios. Por ejemplo, Johannes Kepler había demostrado que los planetas se mueven formando una elipse, o una figura oval, alrededor del Sol. Y Galileo Galilei descubrió que Venus tiene fases, como la Luna, y eso únicamente podía significar que gira alrededor del Sol, no de la Tierra.

A pesar de todo esto, el currículum de Cambridge continuaba estudiando las teorías tradicionales. Los profesores nos hablaban de las teorías antiguas de Aristóteles y ni siquiera nombraban a Copérnico, Kepler o Galileo. También nos explicaban las teorías de Aristóteles sobre el movimiento. Aristóteles consideraba que el movimiento implicaba todo lo que se mueve o cambia, como por ejemplo la maduración de una manzana, el movimiento del ala de un pájaro o la transformación de una pieza de mármol en una estatua. Si el movimiento implica tantas cosas, resulta imposible cuantificarlo en cifras. Las matemáticas y la geometría, según Aristóteles, pertenecían al mundo de las teorías. No se podían utilizar para medir el mundo que nos rodea ni los movimientos.

Cuando yo oía hablar a los profesores, intuía, en mi interior, que Aristóteles estaba equivocado. Al construir mi molino de viento y mi reloj de agua, pude comprobar que algunos pequeños cambios en los mecanismos de las máquinas las hacían trabajar de una manera diferente, de una manera que se podía medir con cifras. Y también pude medir el efecto del viento sobre la distancia que yo podía saltar.

Puesto que estaba insatisfecho con las ideas que escuchaba en las clases, comencé muy pronto a visitar la biblioteca para buscar nuevas ideas. La biblioteca del Trinity College albergaba más de tres mil libros y dejaba muy pequeña la colección del señor Clarke, en Grantham. Había algunos libros de filósofos de la naturaleza modernos que mis profesores no citaban nunca, como René Descartes, Robert Boyle, Thomas Hobbes o Galileo.

Mi cabeza bullía con las nuevas ideas que descubrí en aquellos libros. A medida que me iba familiarizando con ellas, iba empezando a comprender que la imagen de una realidad nueva que estaban creando era incompleta: algunas preguntas continuaban sin respuesta. Yo hubiera querido saber si alguna vez sería capaz de proponer mis propias teorías. El filósofo francés René Descartes describía la naturaleza como una máquina vasta y compleja. Yo quería descubrir las leyes que regían aquella máquina.

Durante el segundo año que pasé en el Trinity, empecé a escribir un cuaderno. Llené las primeras y las últimas páginas con las teorías de Aristóteles, por si el cuaderno caía en manos de algún profesor. Pero en las páginas interiores comencé una sección propia que titulé *Quaestiones quaedam philosophicae*, 'Algunas cuestiones filosóficas'. Al principio de la sección escribí: «Platón es amigo mío, Aristóteles es amigo mío, pero el mejor amigo es la verdad».

Luego empecé a escribir preguntas: cuarenta y cinco en total. A continuación de cada pregunta escribí lo que sabía a propósito del tema, de acuerdo con mis lecturas y mis propios pensamientos. Enseguida vi bien claro que sabíamos muy pocas cosas. Había aún lugar, me pareció, para una nueva filosofía de la naturaleza.

Una de las preguntas era sobre la materia y de qué estaba hecha. A nivel microscópico, ¿la materia está formada por infinitos puntos finísimos, unas partículas llamadas átomos por los griegos antiguos? Puesto que los átomos son partículas infinitas sin dimensiones, que no tienen longitud ni anchura, no deberían poder formar materiales sólidos, pero los forman. Así llegué a la conclusión de que la materia debía estar formada por átomos. Imaginé los átomos infinitamente pequeños e imposibles de dividir: las partículas fundamentales del universo.

Otra de mis preguntas estaba relacionada con
la fuerza misteriosa conocida con el nombre de
gravedad, que hace que las cosas caigan. Aquella
pregunta me había obsesionado desde el día que,
cuando aún era un niño, vi cómo el agua salía por
el agujero del cubo. Me hubiera gustado saber
cómo se podía medir la gravedad y descubrir si
era constante o si variaba de un lugar a otro.

Algunas de las preguntas que me planteaba
hacían necesarios unos conocimientos
matemáticos muy superiores a los que yo poseía.
A pesar de las lecciones que me había dado el
señor Stokes, aún había grandes lagunas en mi
formación. Pero entonces, en el año 1664, todo
cambió. Fue el año en el que conocí al matemático
Isaac Barrow. El año anterior, había sido elegido
para convertirse en el primer profesor de
Matemáticas de la Universidad de Cambridge. Asistí
a algunas de sus clases y me quedé impresionado
por sus conocimientos y por la originalidad de
sus ideas. Barrow exploraba la relación entre
las matemáticas y la ciencia y demostraba que las

matemáticas pueden ser utilizadas para investigar cosas como el espacio y el movimiento.

El 28 de abril de 1664 hice mi examen para renovar la beca. Isaac Barrow fue mi examinador

LA RESTAURACIóN

Oliver Cromwell murió en el año 1658 y dejó Inglaterra en manos de su hijo Richard. Pero Richard no era tan autoritario como su padre y dimitió en 1659. Al año siguiente, el Parlamento ofreció el trono a Charles Stuart, hijo del rey Carlos I, que había sido ejecutado en 1649, y fue coronado con el nombre de Carlos II. De aquella manera, la monarquía fue restaurada once años después. Carlos II fue un rey más tolerante, y durante su reinado el estricto código religioso del puritanismo cambió. El teatro, los deportes y los bailes se recuperaron.

y, entre otras cosas, me preguntó qué sabía de los *Elementos* de Euclides. Barrow se había encargado poco tiempo antes de una nueva edición inglesa del libro y le expliqué que sabía que él admiraba mucho a Euclides. Mi ignorancia a propósito de aquel tema no le gustó en absoluto. Me dijo que volviera a leer el libro con más atención y yo me avergoncé y le prometí que lo haría.

A pesar de aquel contratiempo, aprobé el examen con buena nota y me dieron la beca. Eso quería decir que ya no tendría que ser un estudiante de segunda, ni trabajar para otros estudiantes o profesores; ahora podría dedicar todo mi tiempo a los estudios.

Una tarde, a finales de septiembre, recibí una invitación de Isaac Barrow que me invitaba a cenar con él en su residencia. Fue una gran sorpresa porque los profesores no solían confraternizar con los alumnos. Mientras cenábamos, me preguntó si había vuelto a leer los *Elementos* de Euclides. Le dije que sí y que lo consideraba una obra maestra. Me había enseñado, por ejemplo, cómo se podían deducir las propiedades de los triángulos, los círculos, las líneas y las esferas a partir de unas cuantas reglas. Él asintió con un movimiento de cabeza, aparentemente satisfecho, y ya no volvimos a hablar del tema.

Después de la cena, nos sentamos en dos sillones, cerca del fuego.

LOS ELEMENTOS DE EUCLIDES

Los *Elementos* son una serie de trece libros supuestamente escritos por el matemático griego Euclides, que vivió en Alejandría, Egipto, alrededor del año 300 antes de Cristo. Se trata de una colección de teoremas y pruebas matemáticas que analizan varios aspectos de las matemáticas y la geometría. Se ha reeditado miles de veces desde que fue impreso por primera vez en el año 1482.

–Isaac –me dijo Barrow–, tengo muy claro que tienes una mente privilegiada y creo que estás destinado a hacer grandes cosas. Ahora que has leído y comprendido a Euclides, estás preparado para afrontar el problema matemático más importante que nos preocupa en nuestros días.

Le pregunté cuál era ese problema.

–Las matemáticas de Euclides –respondió– describen un mundo completamente inmóvil. Ahora necesitamos unas matemáticas que describan los cambios y el movimiento... Unas matemáticas que nos permitan comprender algunos fenómenos naturales, como, por ejemplo, las órbitas de los planetas o el movimiento de los fluidos...

Barrow me hizo pasar a su estudio y me mostró unos cuantos escritos de matemáticos como René Descartes, John Wallis, Pierre de Fermat, Bonaventura Cavalieri y él mismo. Así supe que aquellas grandes mentes habían estado enfrentándose con el mismo problema. Me sentí profundamente orgulloso al saber que Barrow quería reclutarme para unirme a aquel combate.

Al día siguiente, empecé a trabajar
para resolver aquel problema. Mi primera
aproximación fue representar el cambio en

ISAAC BARROW

Isaac Barrow (1630-1677) fue un profesor
de Teología y Matemáticas. Ingresó
en el Trinity College de Cambridge en
el año 1643 y fue elegido profesor de
la universidad en 1649. Fue nombrado
profesor Lucasiano en 1663, el primero
que ostentaba este cargo, y trabajó
para convertir las matemáticas en
una especialidad de los estudios
universitarios. Dejó una serie de
trabajos básicos de matemáticas que
fueron publicados después de su muerte.
Contribuyó a desarrollar un nuevo
método matemático para describir
el movimiento y los cambios.

una gráfica. Si representaba con dos líneas perpendiculares el tiempo y la distancia, podía representar la velocidad del cambio con una línea curva, de la manera siguiente:

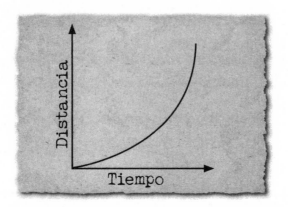

Si era capaz de calcular la pendiente de cualquier punto a lo largo de la curva, podría medir la tasa de cambio. El problema que tenía que resolver era que la pendiente de la curva, la derivada, cambia constantemente y yo no era capaz de encontrar un método que me permitiera fijar la pendiente exacta de cualquier punto a lo largo de la curva.

Me hubiera gustado mucho dedicar todo mi tiempo a resolver el problema, pero tenía que asistir a las clases y tenía que escribir muchos papeles para preparar mi examen de grado, de manera que únicamente podía trabajar por las tardes. No me permitía ningún tipo de vida social porque no quería distraerme con nada que no fuera mi proyecto.

Pero a principios de diciembre de 1664, una distracción me perturbó: apareció un cometa en el cielo nocturno que recorría el firmamento esparciendo su cola hacia el este. Durante las noches siguientes, bien abrigado contra el frío del invierno, observé el cometa para anotar cómo progresaba por el firmamento, tomando como referencia las estrellas inmóviles. A veces recordaba a Katherine y aquella noche en la que hicimos volar la linterna por encima de las cabezas de los supersticiosos ciudadanos de Grantham. Estaba seguro de que le hubiera gustado ver un cometa de verdad. La echaba mucho de menos y me hubiera gustado saber si ella también pensaba tanto en mí.

Tal vez la gente hacía bien al temer tanto a los cometas, a pesar de todo, porque aquel cometa también trajo grandes desgracias a su paso. A finales de diciembre, antes que el cometa desapareciese de nuestro cielo, llegaron a Inglaterra rumores sobre una epidemia que asolaba los Países Bajos. En enero de 1665, la plaga llegó a Londres. Aquel mismo mes, hice mi examen final y me gradué con éxito con el título de licenciado en Artes. En Cambridge no había casos de peste y la vida transcurrió con normalidad durante un tiempo. Pero en Londres morían miles de personas cada semana. Cuando la epidemia terminó, hacia finales del año 1666, había dejado más de cien mil muertos, casi la cuarta parte de la población de Londres.

Antes de todo esto, durante el verano de 1665, centenares de personas desesperadas y con mucho miedo, empezaron a huir de Londres. Algunas llegaron a Cambridge. El miedo también se contagiaba y las universidades comenzaron a quedar desiertas, incluido el Trinity. Los profesores y los alumnos se dispersaron por los campos. Yo, personalmente, estaba triste por tener que marcharme. Ahora que había terminado los estudios, estaba por fin en condiciones de dedicar toda mi atención a resolver el problema de Barrow. Volver a casa me parecía una interrupción innecesaria de mi proyecto. No podía imaginar que aquel cambio de escenario era precisamente el que excitaría mi imaginación. En Woolsthorpe hice algunos descubrimientos que conmovieron el mundo de la ciencia.

- Isaac Newton ingresa en la Universidad de Cambridge en calidad de alumno de segunda y tiene que trabajar para los profesores o los estudiantes ricos para poder pagarse los estudios.
- Se siente frustrado por el currículum tradicional de Cambridge y busca libros de pensadores más modernos y creativos.
- Isaac Barrow le pide a Newton que intente crear unas matemáticas nuevas que describan el cambio y el movimiento.
- Newton estudia el curso de un cometa en diciembre de 1664.
- Una epidemia provoca el cierre de la universidad.

CAPÍTULO 5

1665

R egresé a Woolsthorpe el mes de agosto de 1665. Ahora, con veintidós años y graduado en la Universidad de Cambridge, era una persona muy diferente del granjero fracasado que había salido del condado de Lincoln cuatro años antes. Mi madre me recibió con satisfacción, como Benjamin, Mary y la pequeña Hannah. Desgraciadamente, mi abuela, que me había criado prácticamente sola desde que era un niño, había muerto. Fui a presentarle mis respetos al cementerio del pueblo y le di las gracias por haberme ayudado en mis primeros experimentos.

Me quedé muy satisfecho al comprobar que, ahora, la granja funcionaba muy bien, dirigida por Christopher, un hombre del pueblo. Pero, a pesar de todo, mi madre no se había podido quitar de la cabeza sus quimeras y consideraba que yo tenía que volver a la granja para quedarme y hacerme cargo definitivamente del negocio familiar. Cuando intenté explicarle la situación, exclamó:

–Pero ahora ya tienes una carrera, Isaac. Te has convertido en un erudito. Ha llegado el momento de volver para hacerte cargo de la granja, como un hombre adulto.

–Ser un erudito no es una situación temporal, madre –le respondí–. Lo seré siempre y solamente la epidemia me ha obligado a volver de Cambridge. La universidad es ahora mi casa y tengo que volver.

Por si la cosa no le había quedado clara, enseguida empecé a hacer temblar las paredes de la casa a golpes de martillo, construí unas cuantas estanterías en mi dormitorio y lo transformé en un estudio. Mi madre ya no me quiso volver a hablar del tema y, para hacer las paces, me regaló un cuaderno de mil páginas.

—Lo heredé de tu padrastro —me explicó—, pero yo no soy amante de escribir y no lo he utilizado casi nunca.

Aunque aquello me obligaba a aceptar un recuerdo del odiado reverendo Barnabas, no podía dejar pasar por alto aquella oportunidad y menospreciar un regalo tan valioso. Le di las gracias y repasé las viejas páginas en blanco. Muy pronto llenaría aquel cuaderno de notas y diagramas. ¡Había llegado el momento de volver a trabajar! Mi obsesión, desde aquella noche que pasé con Isaac Barrow hacía un año, era encontrar un lenguaje matemático capaz de describir el cambio y el movimiento, y ahora tenía que volver a intentarlo.

Yo ya sabía representar gráficamente los cambios en una curva, pero aún tenía que encontrar un método que me permitiera calcular la pendiente en cada punto. Descubrí que la pendiente de una curva se podía calcular dividiéndola en segmentos muy pequeños y, luego, calculando la pendiente de cada segmento. Cuanto menores fueran los segmentos, más exactos serían los cálculos.

Pero una línea curva es suave y continua, y la pendiente no deja de cambiar nunca. Para medir bien los cambios, los segmentos debían ser de unas dimensiones infinitesimales. Infinitesimal quería decir que tenían que ser tan pequeños

INFINITESIMALES

En matemáticas, los infinitesimales son dimensiones tan pequeñas que no se pueden medir. Newton descubrió que, a pesar de ser tan pequeños, los infinitesimales conservaban las propiedades de los cuerpos, como, por ejemplo, el ángulo o la pendiente, y que, por lo tanto, podían resultar útiles. Newton no fue el primer matemático que utilizó los infinitesimales: Johannes Kepler los utilizó para calcular el área de un círculo.

que no se pudieran dividir más, pero sin llegar nunca a cero. Euclides rechazaba las dimensiones infinitesimales porque decía que no eran matemáticas. Me hubiera gustado darle la razón, pero no podía ignorar que tenía que ser posible realizar aquellos cálculos. Tenía que afrontar aquella dificultad que me impedía resolver el problema.

Pasaba horas y horas consultando mis notas, hasta que los ojos se me nublaban. Cuando ya no podía más, daba largos paseos por el campo, mirando cómo pastaban las ovejas y, a veces, las maldecía como si tuvieran la culpa de mis problemas. Pero mi enemigo eran los infinitesimales y deseaba que no existieran. Un día de noviembre, llegué a un puente y observé la corriente de agua donde, un buen día, construí una rueda de molino. Contemplaba cómo el agua discurría entre las rocas, cómo se abría paso a pesar de los obstáculos. Y comprendí que tenía que afrontar la realidad: si no podía huir de los infinitesimales, debía hacerlos míos.

Al volver a mi estudio, abrí el cuaderno de
Barnabas por una página en blanco. Decidí dar la
bienvenida a los infinitesimales en mis cálculos
dándoles un símbolo: «o». Aquel acto tan simple
me abrió una puerta: descubrí que tenía que
introducir el álgebra en la geometría de la línea
curva para poder hacer nuevos cálculos. Dibujé
diagramas muy complicados. Estudié varias
clases de curvas, espirales y elipses, y descubrí
la forma de medir sus pendientes. Introduje
tangentes, líneas rectas que rozan la superficie de
una curva, y encontré una técnica para medir las
líneas curvas.

Pocas semanas después lo había conseguido:
había descubierto un método que me permitía
calcular la pendiente de cualquier punto dentro
de una línea curva. A su vez, esto me posibilitó
llegar a una fórmula que me permitía medir
las tasas de cambios. En aquellos momentos,
comprendí que había llegado más lejos que
Descartes o que cualquier otro matemático, vivo
o muerto. Aquella era la nueva matemática que

Isaac Barrow me había pedido. La llamé *método de fluxiones* y luego el mundo la conoció con el nombre de «cálculo diferencial».

En el mes de marzo de 1666, mi universidad volvió a abrir y volví a Cambridge. No comenté con nadie mis progresos, ni siquiera con Isaac Barrow. Siempre he tenido un carácter solitario y he preferido luchar solo contra las fronteras del conocimiento. La verdad es que mi regreso a la universidad fue muy breve. Otra alerta de epidemia estalló en julio y la universidad volvió a cerrar.

Regresé una vez más a Woolsthorpe, ocupado ahora en otro proyecto. Hacía mucho tiempo que me fascinaban los colores y la visión y quería saber hasta qué punto los colores que podemos ver con nuestros ojos reflejan la realidad. Para resolver el problema, fui a buscar una pinza para los cabellos a la habitación de mi madre y me la llevé a mi estudio. Me la puse en la cuenca del ojo, entre este y el hueso, y la mantuve durante un tiempo en esta posición, hasta que empecé a ver algunos círculos blancos, negros y de colores. Cuando dejé de apretarme el ojo, los círculos desaparecieron. Esto me hizo pensar que la luz podía ser el resultado de una presión.

Para mi nuevo experimento, puse un espejo delante de la ventana y miré fijamente la luz del sol durante todo el tiempo que lo pude resistir.* Luego cerré los ojos y vi círculos de colores que se movían. No sabía si aquellos colores eran reales, como los colores que vemos normalmente con los ojos abiertos, o si eran una ilusión. Cuando abrí los ojos también comprobé que los objetos iluminados me parecían rojos y los objetos oscuros, azules. Eso demostraba que nuestra forma de ver los colores puede cambiar y que, por lo tanto, no necesariamente reflejan la realidad.

Me interesaba mucho saber qué eran los colores y cómo se formaban. Había leído ideas de otras

* Aviso: Newton se comportó de una forma muy irresponsable aquel día. Nunca hemos de ponernos objetos dentro del ojo ni hemos de mirar fijamente al sol.

LA CIENCIA DE LOS OJOS

Durante el siglo XVII sabíamos muy pocas cosas sobre cómo funcionan los ojos. Johannes Kepler fue el primero en descubrir que las imágenes aparecen invertidas en la retina, en 1604. El fenómeno fue confirmado en 1619 por Christoph Scheiner a partir de sus estudios sobre la anatomía de los ojos. René Descartes creía que los rayos de luz imprimían «partículas sutiles» en los ojos que, después, eran transmitidas a la glándula pineal del cerebro, donde se producía la visión.

personas al respecto, pero ninguna de aquellas opiniones me había convencido. Para intentar elaborar mi propia teoría sobre los colores, me compré un prisma, un bloque de vidrio en forma de triángulo. Era un objeto fantástico porque cuando le daba la luz del sol, difundía un espectro de varios colores, como un arcoíris.

91

Dejé mi habitación a oscuras, excepto un pequeño agujero que hice en la contraventana y que dejaba pasar un haz de luz muy fino. Puse el prisma sobre una estantería, ante una pared blanca, de manera que el haz de luz lo atravesara. Luego observé con atención los colores que se proyectaban sobre la pared: rojo, anaranjado, amarillo, verde, azul, añil y violeta. Anoté la secuencia de colores y el ángulo de proyección.

Después de algunos experimentos parecidos, llegué a la conclusión de que los colores no eran algo añadido a la luz blanca, como creía la mayoría, sino que formaban parte de la propia luz. La mayoría de las personas consideraban que la luz blanca era pura, pero la verdad era que estaba formada por rayos de todos los colores. El color de cada rayo dependía del ángulo con el que la luz blanca entraba o salía del prisma.

Continué con mis experimentos a lo largo de las semanas siguientes y descubrí los patrones matemáticos según los cuales se refracta la luz blanca, el ángulo de inclinación que forma cada color cuando atraviesa las gotas de lluvia para formar el arcoíris. Comparé mis datos con los que resultaban cuando la luz atravesaba otros cuerpos, como, por ejemplo, el aceite disuelto en agua o las pompas de jabón, y anoté todos los resultados en el cuaderno de Barnabas. Llegué a

LA ÓPTICA

La óptica es la ciencia que estudia la vista y la naturaleza de la luz y del color. Aristóteles creía que el color procedía de la mezcla del blanco y el negro. Sus continuadores consideraban que el color era una forma de la materia, que llegaba al ojo gracias a la luz. Descartes argumentaba que los colores estaban formados por los cambios de velocidad de la luz cuando se refleja sobre el vidrio o el agua. Otro filósofo, Robert Hooke, aseguraba que el color solo era luz con varios tonos de oscuridad.

varias conclusiones, ninguna de las cuales, como era habitual, comenté con nadie.

El verano dio paso al otoño. Los agricultores tienen mucho trabajo en el campo con la siega y la cosecha, y los manzanos de nuestro huerto empezaron a llenarse de manzanas. Así, el huerto se convirtió en uno de los lugares preferidos para mis paseos. A menudo lo visitaba al atardecer, cuando la luz era dorada, me sentaba a la sombra de algún árbol y pensaba en mis problemas filosóficos. Una de aquellas tardes, me puse a pensar en la Luna. Yo ya sabía que la Luna viajaba por el espacio a gran velocidad, pero no sabía cómo. ¿Qué fuerza la empujaba?

Mientras analizaba aquel problema, sopló una ráfaga muy fuerte de viento. Miré hacia el cielo y vi cómo caía una manzana del árbol. Fue un momento extraño: mi cabeza pensaba en la Luna mientras mis ojos veían cómo caía la manzana. Entonces me vino una idea a la cabeza y, de repente, me emocioné y lo comprendí: era la misma fuerza. La fuerza que había hecho caer la manzana del árbol era la misma que mantenía a la Luna alrededor de la Tierra. ¡La manzana y la Luna eran atraídas por la fuerza conocida con el nombre de *gravedad*!

Al principio, mi mente se rebeló contra aquella idea. La manzana estaba muy cerca de la tierra, mientras que la Luna estaba muy lejos. ¿Cómo podía la gravedad afectar a los dos objetos? Pero otra parte de mí solo se sorprendió. ¿Por qué la influencia de la gravedad no podía llegar hasta el espacio exterior?

Mi mente racional formuló otra objeción: la manzana había caído directamente al suelo, mientras que la Luna orbitaba alrededor de la Tierra. ¿Cómo era posible que la misma fuerza provocara que dos cuerpos actuasen de dos formas tan diferentes? Entonces comprendí un hecho extraordinario: la Luna también cae, como la manzana, pero la Tierra también gira al mismo tiempo y se aparta de la Luna, por eso la Luna no cae sobre la Tierra, sino que orbita a su alrededor.

Aún llegué a otras conclusiones. La manzana
era muy pequeña y la Luna muy grande, por eso
creí que la fuerza de gravedad debía disminuir a
medida que crecía la distancia. También deduje
que la gravedad no la ejercía solamente la Tierra.
Todos los objetos tienen gravedad, incluidos el
Sol, los planetas, la Luna y hasta la manzana. Si la
Tierra atraía a la manzana, la manzana también
tenía que atraer a la Tierra. La fuerza de gravedad
de la manzana tenía que ser, por supuesto, mucho
menor, pero no equivalía a cero. También consideré
de dónde procedía la gravedad. La manzana caía
en vertical, sin formar ningún ángulo, de manera
que la gravedad tenía que ejercerse desde el centro
de los cuerpos, no desde los lados.

Tenía la cabeza llena de ideas efervescentes,
de manera que corrí hacia mi estudio y empecé
a escribir en el cuaderno de Barnabas. Yo intuía
que había descubierto algo muy importante sobre
el funcionamiento del universo, pero necesitaba
realizar más experimentos para demostrar mis
teorías y formular matemáticamente las leyes que

derivaban de mis conclusiones y que se tenían que poder aplicar a todo el universo. A lo largo de los meses siguientes, me dediqué a trabajar en aquel proyecto.

Até un peso a una cuerda y lo balanceé en círculos para poder calcular la velocidad de caída de los cuerpos según la gravedad. Descubrí una fórmula que definía la relación entre la fuerza de gravedad y la distancia entre los cuerpos que la ejercían, y luego intenté elaborar una serie de principios básicos para calcular el movimiento y la fuerza.

Estaba tan ocupado con mis estudios que no notaba el paso del tiempo. Hasta que un día, al mirar por la ventana, me sorprendí al ver los manzanos en flor y los rebaños que pastaban por los prados. El otoño y el invierno habían dejado paso a la primavera. Pocos días después, llegó una carta que me anunciaba que la epidemia había sido superada y que el Trinity College volvía a abrir. Había llegado el momento de volver a Cambridge.

NEWTON Y LA MANZANA

Newton contó la historia de la manzana sesenta años después, en 1726, cuando le explicó a un amigo cómo había hecho aquel gran descubrimiento sobre la gravedad. La historia se hizo muy famosa. En algunas versiones, la manzana le cayó sobre la cabeza, aunque no hay ninguna prueba que lo demuestre. El manzano aún se conserva en la mansión Woolsthorpe. Crece ante la casa, frente a la ventana del dormitorio de Newton. En 2010, un astronauta de la NASA llevó una rama del manzano a bordo de la nave Atlantis, en una misión en la Estación Espacial Internacional.

- En la casa familiar de Woolsthorpe, Isaac continúa con sus estudios y experimentos.
- Inventa unas matemáticas nuevas para describir los cambios y el movimiento, que él denomina *método de fluxiones*. Ahora se conoce con el nombre de *cálculo infinitesimal*.
- Demuestra con un prisma que la luz blanca no es pura, sino que está formada por varios colores.
- Cuando Isaac ve cómo cae una manzana de un manzano, comprende que la misma fuerza de gravedad que la hace caer es también la responsable de la órbita de la Luna alrededor de la Tierra.

CAPÍTULO 6

1667

Fue maravilloso volver a Cambridge. En la biblioteca del Trinity College me sentía como en casa. Una semana después de haber vuelto, reuní al valor suficiente para mostrarle a Isaac Barrow mi método de fluxiones. Quedó maravillado.

—Esto es extraordinario —murmuró, en voz baja y temblorosa—. Aún necesita alguna revisión, pero, Isaac, creo que has descubierto un modelo absolutamente nuevo de matemáticas.

Luego empezó a hacer planes.

–La primera medida que hemos de tomar es convertirte en profesor del Trinity College –dijo Barrow.

–Pero si solo tengo veinticuatro años –objeté.

–Otro motivo para convertirte en profesor –comentó–. La gente no suele hacer caso a un hombre de tu edad hasta que no ha adquirido cierta posición social...

Su condición de profesor de Matemáticas revestía a Barrow de una gran autoridad, y, gracias a eso, fui designado profesor universitario en el mes de octubre.

Barrow me animó a leer un libro de un matemático muy importante, John Collins. Encontré muy útil su trabajo sobre fórmulas matemáticas y lo utilicé para mejorar y corregir mi método de fluxiones. El mes de junio de 1669, terminé mi trabajo. Escribí unas notas que titulé *De Analysi*, en las que explicaba mi método detalladamente. Cuando Barrow las leyó, me miró con cierta solemnidad.

—Es un trabajo perfecto —me dijo—. ¿Te importaría que se lo hiciera llegar a John Collins?

—¿Está usted seguro? —le pregunté.

—Collins tiene buenos contactos con los matemáticos más importantes —me explicó Barrow—. Él se encargará de darles a conocer tu magnífico método.

Así, Barrow envió *De Analysi* a Collins, y, una semana después, Collins le escribió y le manifestó que estaba entusiasmado con mi trabajo. Con mi permiso, lo mostró a muchos otros profesores universitarios, incluido el presidente de la Royal Society. De aquella manera, mi método, y mi nombre, empezaron a ser conocidos en todo el mundo.

Un año después, Barrow me llamó a su estudio.

—Te espera una carrera brillante —me dijo—, pero, por desgracia, yo no te acompañaré en el viaje. He decidido dejar las matemáticas y dedicarme a estudiar religión.

Fue una revelación que me sorprendió mucho.

—Y me gustaría que me sustituyeras como profesor de Matemáticas —añadió.

—¿Yo, señor? —dudé—. Pero si yo...

—No tienes más que veintisiete años, ya lo sé —dijo Barrow—. Eres joven, pero también eres un genio. No hubiera podido encontrar un sucesor más digno.

El día 29 de octubre de 1670 fui nombrado profesor de Matemáticas. Hubiera querido justificar la fe que Barrow había depositado en mí, pero la verdad es que no me encontraba a gusto del todo con mi nuevo trabajo. Como profesor, tenía que impartir al menos una clase semanal sobre algún tema matemático. Pero también tenía que disponer de tiempo para atender a cualquier estudiante que quisiera comentar conmigo algún aspecto de sus estudios. Y, como ya debe haber quedado claro, nunca me había gustado pasar tiempo con otras personas. Katherine Storer y el doctor Barrow eran las únicas excepciones; en general, la compañía de otras personas me ponía enfermo y, solo de pensar que tenía que hablar regularmente con los estudiantes, me sentía muy mal.

Cuando llegó aquel momento, noté que los sentimientos eran mutuos. Los pocos estudiantes que se atrevían a llamar a la puerta no duraban mucho tiempo. Debía de ser porque era incapaz de fingir que me interesaban sus problemas. Tal vez me equivocaba cuando continuaba escribiendo o haciendo mis experimentos mientras ellos me abrían sus corazones, pero la verdad era que tenía mucho trabajo, debía descubrir muchas cosas, y aquellas sesiones solo eran unas interrupciones que no me gustaban. Pero, afortunadamente, aquellas visitas terminaron muy pronto.

Por lo que se refiere a mis clases, también fueron un fracaso espectacular. Preparé unas cuantas lecciones a propósito de los temas más importantes, que leía una vez a la semana en el salón principal de la facultad. Tal vez a los estudiantes no les gustaba mi voz o mi costumbre de hablar mirando las paredes, pero el caso es que perdieron enseguida el interés por las cosas que les explicaba. Bostezaban de aburrimiento, se ponían a hablar entre ellos o, simplemente, se iban. El caso es que la tercera semana me quedé solo en el salón. Estuve explicando a las paredes mi teoría a propósito de que todos los colores estaban incluidos en la luz blanca. Las paredes, al fin y al cabo, se mantenían en un silencio respetuoso mientras yo hablaba.

Durante los dos años siguientes, continué impartiendo aquellas clases. Era mi obligación como profesor, pero, a la vez, me servían para clarificar mis pensamientos en relación con la óptica. De vez en cuando, algún estudiante perdido o curioso entraba al aula y volvía a salir rápidamente. A medida que mejoraban mis habilidades oratorias, unos pocos estudiantes me escuchaban durante más tiempo, con interés. Pero yo no les prestaba la menor atención.

Gracias a mis estudios sobre la óptica, descubrí que las lentes de los telescopios dispersaban la luz en colores. Para evitar el problema, diseñé y construí una nueva clase de telescopio con espejos en lugar de lentes. Yo mismo preparé los espejos con un metal muy reflectante.

En 1671, la Royal Society me invitó a hacer una demostración de mi telescopio reflectante y enseguida comprobaron que proporcionaba una imagen mucho más clara y definida que los telescopios tradicionales, refractantes. Aquel reconocimiento me animó a publicar mis notas sobre óptica. Algunas de mis ideas a propósito de la luz y el color provocaron las críticas de un miembro de la Royal Society particularmente irritable llamado Robert Hooke. Me ofendió tanto que renuncié a dar más conferencias. No obstante, durante los años siguientes, el irritado profesor continuó molestándome. En 1680 me escribió una carta en la que hablaba de los movimientos de los planetas y me sugería que, tal vez, tuvieran algo que ver con la gravedad.

LA ROYAL SOCIETY

Fundada en 1660, la Royal Society es la sociedad científica más antigua del mundo. Fue creada con la aprobación del rey Carlos II para promover la ciencia. Sus miembros se reunían una vez por semana para discutir sus trabajos y realizar experimentos. El lema de la Royal Society es «Nullius in verba», que quiere decir 'sin palabras'. O, dicho de otra forma, solo se aceptarán hechos basados en experimentos, no en la autoridad de los clásicos.

Esto me recordó a aquella tarde de hacía catorce años, cuando llegué a la misma conclusión, sentado bajo el manzano de Woolsthorpe. No volví a trabajar sobre aquella idea, pero, ahora, animado por la carta de Hooke, decidí hacerlo. Quería encontrar una relación matemática entre la gravedad como nosotros la experimentamos en la Tierra y la misma fuerza cuando afecta a la Luna y los planetas. Y, además, ¡estaba decidido a hacerlo antes que Hooke!

En 1684, di por terminada mi «ley de la gravitación universal». El trabajo proponía una fórmula matemática para calcular la fuerza de atracción entre dos objetos, como, por ejemplo, la Luna y la Tierra, basada en las masas de los dos cuerpos y la distancia que los separa. Redacté la ley, además de algunas notas que la explicaban, y la envié a la Royal Society. Por desgracia, Hooke reclamó enseguida que él me había sugerido aquella idea en una de sus cartas. Era verdad que nuestra correspondencia había continuado durante los primeros años de la década de 1680, pero la ley era un trabajo exclusivamente mío y así se lo declaré a otro miembro de la sociedad, el señor Edmond Halley. Halley se puso de mi parte en la disputa, pero me pidió que reconociera la contribución de Hook al desarrollo de la ley, algo que hice muy a mi pesar.

ROBERT HOOKE

A Newton no le gustaba, pero Robert Hooke fue un gran hombre. Además de ser un buen filósofo de la naturaleza y un miembro destacado de la Royal Society, fue también un destacado arquitecto, astrónomo, delineante e inventor. Realizó más de la mitad de los estudios y las investigaciones posteriores al gran incendio de Londres y diseñó la mayoría de los nuevos edificios. Inspirado por sus estudios con el microscopio, Hooke escribió e ilustró un libro extraordinario, titulado *Micrographia*, con preciosos y detallados dibujos de insectos.

En noviembre de 1684, empecé a trabajar en un libro. Le puse un título muy largo, pero se hizo famoso con el título *Principia*. En *Principia*, me proponía describir y explicar mi ley de la gravitación universal. Pero eso era solo el principio: yo quería que mi libro explicara todas las fuerzas que pueden afectar a los objetos en movimiento, no solo por qué cae la manzana, sino también cómo sube hacia el cielo cuando la tiro con fuerza. Durante el primer año que pasé en Cambridge, me habían enseñado que el movimiento, según Aristóteles, no se puede ajustar a ninguna ley. Mi instinto me decía que aquello no era cierto. Ahora tenía el tiempo y los conocimientos necesarios para demostrarlo. Después de mis estudios, llegué a definir tres leyes relacionadas con el movimiento:

1. Un objeto puede permanecer inmóvil o continuar moviéndose a una velocidad constante si no actúa sobre él ninguna fuerza externa.

2. La fuerza que ejerce un cuerpo es igual a su masa por la aceleración, y cualquier cambio en el movimiento es proporcional a la fuerza aplicada al cuerpo.

3. Cada acción ejercida sobre un cuerpo produce una fuerza equivalente de reacción en sentido contrario.

Los *Principia* fueron publicados en julio de 1678, con la ayuda de mi amigo Edmond Halley. Debo confesar que aquel libro me cambió la vida, me aportó una fortuna y una fama internacional. Pero no todos aceptaron mis teorías. Algunos profesores continuaban aferrados a las ideas tradicionales de Platón y Aristóteles. Pero, a lo largo de las décadas siguientes, la oposición se fue apagando. Ahora mismo puedo decir con orgullo que las leyes y los principios propuestos en los *Principia* se consideran acertados por la inmensa mayoría y creo que esto se mantendrá así durante mucho tiempo. Porque, si consideramos el universo como un reloj gigante, mis leyes siempre podrán predecir el movimiento de sus agujas en la esfera.

A lo largo de los años siguientes, nunca dejé de pensar y de escribir sobre cuestiones matemáticas y científicas. Publiqué mi método de fluxiones en 1693 y expuse mis teorías ópticas en un libro muy bien recibido, en 1704. También preparé una segunda edición de los *Principia*, muy mejorada, en 1713. Mi fama me permitió entrar en contacto con las personas más conocidas de mi tiempo, y algunas de ellas acabaron convirtiéndose en amigas. Una de aquellas personas era Charles Montagu, conde de Halifax, un profesor del Trinity College. Charles creía que un erudito de mi importancia no podía subsistir con un escaso salario de profesor, de manera que utilizó sus influencias para proporcionarme un cargo mejor pagado. En 1696 fui designado guardián de la Moneda Real, es decir, me propusieron para producir el dinero de la nación. Corrían malos tiempos para la moneda inglesa. Durante la guerra, las monedas habían perdido mucho valor porque llevaban menos metal valioso y porque se habían producido muchas falsificaciones. Mi trabajo consistía en salvar la moneda y me apliqué a aquella misión con energía y entusiasmo.

LA REVOLUCIÓN GLORIOSA

En 1688, un año después de que Newton publicara sus *Principia*, el rey Jaime II, hijo de Carlos II, fue derrocado después de una revuelta pacífica conocida con el nombre de la Revolución Gloriosa. El Parlamento y la nobleza protestante temían que el rey católico Jaime intentara reimplantar el catolicismo romano en Inglaterra. De manera que ofrecieron el trono a William de Orange, que gobernaba la República holandesa. William llegó a Inglaterra a la cabeza de un ejército y Jaime huyó sin ofrecer resistencia. Como Newton era un protestante comprometido con la causa, se ganó el favor de William y su compañera Mary, y esto le aseguró la designación como guardián de la Moneda Real.

Propuse una nueva acuñación, recolecté todas las monedas devaluadas y falsas y acuñé nuevas monedas. Al mismo tiempo, me embarqué en una guerra sin piedad ni tregua contra los que raspaban las monedas y los que las falsificaban. En 1699, gracias a mis servicios en beneficio de la moneda, fui ascendido a maestro de la Moneda Real. A lo largo de los años siguientes, me concedieron más honores. En 1703 fui elegido presidente de la Royal Society y en 1705 fui nombrado caballero por la reina Ana, durante su visita al Trinity College.

Por todo esto, estaba muy contento, y aún lo estoy en la actualidad. He podido ahorrar algún dinero y ahora vivo de una manera confortable. También me he ganado el respeto de mis colegas y el afecto de mis amigos. Pero, de alguna forma, nunca estaré del todo contento, porque aún conservo el espíritu de mi juventud y viviré eternamente fascinado por el universo y sus secretos.

ISAAC ES DESIGNADO MAESTRO DE LA MONEDA REAL.

¡DÉJALO EN MIS MANOS!

UNA DE CADA DIEZ MONEDAS ES FALSA, ISAAC. ES UN DESASTRE.

¡ES UNA MONEDA FALSA!

- En 1670, Newton es nombrado profesor de Matemáticas en el Trinity College.
- En 1671, Newton presenta su telescopio reflectante.
- En 1678, Newton publica su gran trabajo, *Principia*, en el cual sienta las bases de la ley de la gravitación universal y de las tres leyes del movimiento.
- En 1696, Newton es nombrado guardián de la Moneda Real.
- En 1704, Newton publica su libro *Óptica*.
- En 1705, Newton es nombrado caballero.

EPÍLOGO

15 DE ABRIL DE 1726

Ya había oscurecido y sir Isaac se sentía muy cansado. Se paró y se dirigió a su acompañante, William Stukely.

—¿Ya tienes toda la información que necesitas para tu libro?

—Me ha ayudado usted muchísimo —respondió William—. Muchas gracias.

Mientras regresaban a la casa paseando por el huerto, William le preguntó:

—¿Cuál era el árbol bajo el que usted estaba sentado cuando le cayó la manzana?

Sir Isaac señaló con el bastón un árbol frondoso, lleno de hojas, más bajo y más robusto que los demás. William se acercó al manzano y tocó el tronco.

—De manera que es aquí donde empezó todo, hace sesenta años. Aún no me puedo creer, señor, todas las grandes conclusiones que usted sacó al ver caer una manzana.

—Por aquel tiempo, fueron solamente los esbozos de una teoría, William. Me costó más de veinte años formular las leyes de la gravedad y del movimiento.

—A pesar de todo, aquel día inició usted un proceso muy importante —insistió William—. Estoy convencido de que todo esto tiene mucho que ver con la forma en la que usted observa las cosas. Yo, por ejemplo, si miro cómo corre el agua de un torrente entre las rocas, o un molino de viento o la luz del sol sobre una pared, solo veo eso. Pero cuando usted mira las mismas cosas, es capaz de ver cómo trabaja la naturaleza de acuerdo con los principios matemáticos fundamentales. Usted, señor, es capaz de ver mucho más allá que todos nosotros.

—Si he visto más allá —dijo sir Isaac—, es porque he sabido ponerme sobre los hombros de unos gigantes. Olvidas que aquel hombre joven que observó cómo caía la manzana ya se había beneficiado de cinco años de estudios universitarios y conocía las obras de Aristóteles, Descartes, Copérnico, Kepler y Galileo...

—Muchos hombres han pasado por la universidad —asintió William—, pero solo hay un sir Isaac Newton. Usted es especial.

—Si yo tengo alguna cualidad que me convierte en especial, es la curiosidad. Mi curiosidad es infinita.

Cuando llegaron a la casa, William dejó a sir Isaac y subió a cambiarse para la cena. Se marchó de Woolsthorpe al día siguiente, muy temprano. Durante el viaje de regreso a Londres, estuvo pensando en muchas otras cosas que tenía que haberle preguntado a su anfitrión. Solo se consolaba pensando que aún le quedaba mucho tiempo y que habría más visitas y más conversaciones. Pero resultó que ya no volvió a ver a sir Isaac Newton. Al comenzar el año siguiente, el gran hombre se puso enfermo y murió el día 20 de marzo. Fue enterrado en la abadía de Westminster. William estuvo presente en el funeral. Mientras escuchaba los discursos de homenaje que le dedicaron algunos de sus admiradores, él recordaba las últimas palabras de sir Isaac mientras paseaban por los corredores de la mansión Woolsthorpe:

—Yo no sé cómo me recordará el mundo, pero yo mismo me veo únicamente como un niño que ha jugado en la playa y se ha divertido porque ha encontrado, muy a menudo, una piedrecita con la superficie lisa o un caparazón más hermoso que la mayoría, cosas que se escondían en el gran océano de la verdad y que nadie había descubierto antes.

CRONOLOGÍA

1642
Isaac Newton nace el 25 de diciembre en
la mansión Woolsthorpe de Lincolnshire,
Inglaterra. Su padre había muerto dos meses
antes.

1646
Hannah, la madre de Isaac, se casa con el
reverendo Barnabas y se va a vivir con él a
la casa de su marido, dejando a Isaac con su
abuela, que se encarga de educarlo.

1655
El reverendo Barnabas muere y Hannah, con
los tres hijos que había tenido en su segundo
matrimonio, vuelve a vivir con Isaac. Isaac va
a la King's School, la escuela de gramática de
Grantham.

1659
La madre de Isaac le obliga a abandonar la
escuela y a convertirse en criador de ovejas.

1660

Isaac vuelve a la King's School para completar su formación.

1661

Newton ingresa en el Trinity College de Cambridge en calidad de estudiante de segunda.

1664

Newton se convierte en becario.

1665

En enero, Newton se gradúa como licenciado en Artes. En julio, la Universidad de Cambridge cierra por culpa de una epidemia. Newton vuelve a la mansión Woolsthorpe. A lo largo de los veintiún meses siguientes, realiza grandes descubrimientos en los campos de la óptica, la astronomía y las matemáticas.

1667

Newton es elegido profesor del Trinity College.

1670

Newton es nombrado profesor Lucasiano de Matemáticas en el Trinity College.

1671

Newton presenta su telescopio reflectante en la Royal Society.

1672

Newton es nombrado miembro de la Royal Society.

1679

Muere la madre de Newton.

1684

Newton termina su ley de la gravitación universal y la publica en un documento breve.

1687

Newton publica los *Principia*, que consolidan su ley de la gravitación universal y las tres leyes del movimiento. El libro incluye sus cálculos sobre la velocidad del sonido.

1689

Newton es elegido miembro del Parlamento en representación de la Universidad de Cambridge. Conserva el cargo hasta 1701.

1693

Newton publica su método de fluxiones.
Nueve años antes, el matemático alemán
Gottfried Leibniz había publicado su
propia versión, que él tituló *Cálculos*.
Esto provocó una amarga rivalidad
entre los dos matemáticos a propósito
de quién había desarrollado los
cálculos primero. Actualmente, se
cree que los dos los descubrieron
independientemente.

1696

Newton es designado guardián de la
Moneda Real y se traslada a Londres.

1699

Newton es designado maestro de la
Moneda Real, un cargo que mantendrá
durante el resto de su vida.

1703

Newton es elegido presidente de la Royal
Society.

1704

Newton publica su libro *Óptica*.

1705

Newton es nombrado caballero por la reina Ana.

1713

Newton publica la segunda edición, mejorada, de los *Principia*.

1726

Se publica la tercera edición de los *Principia*.

1727

Newton muere el 20 de marzo y es enterrado en la abadía de Westminster.

GLOSARIO

académico Relacionado con los estudios y la educación.

aceleración Un incremento de la velocidad o, en términos científicos, la tasa de cambio de velocidad por unidad de tiempo.

álgebra Parte de las matemáticas en la que se utilizan letras y otros símbolos para representar números y cantidades en fórmulas y ecuaciones.

anatomía Rama de la ciencia que estudia la estructura física del cuerpo de los humanos, animales y otros organismos vivos.

aprendizaje Proceso de formación para el ejercicio de un oficio o una carrera.

astrología Estudio de los movimientos y de las posiciones relativas de las estrellas y los planetas que algunas personas creen que tienen influencia sobre los humanos.

boticario Antiguamente, persona que preparaba y vendía medicinas.

clérigo Sacerdote o ministro de la iglesia cristiana.

cometa Un cuerpo celeste formado por un núcleo de hielo y polvo que, cuando pasa cerca del Sol, produce una «cola» de partículas de gas y polvo. Los cometas aparecen regularmente en el cielo y, antiguamente, se consideraba que traían mala suerte.

dame school En Inglaterra, antigua escuela primaria dirigida por mujeres generalmente de edad avanzada, que impartían clases en su casa.

delineante Persona que elabora planos o dibujos detallados.

devaluado/a Reducido en calidad o valor.

ecuación Expresión matemática que indica que dos valores son iguales, como, por ejemplo: 2 + 2 = 4.

ejercer Aplicar o soportar una fuerza.

elipse Figura geométrica regular de forma oval.

emanar Emerger, salir alguna cosa de una fuente.

epidemia Aparición súbita y generalizada de una enfermedad infecciosa.

erudito Persona experta en alguna rama del saber.

espectro Distribución de una radiación de manera ordenada.

falsificación Creación de una copia o imitación de algo, como, por ejemplo, una moneda.

fase Forma de la Luna o de un planeta que podemos ver desde la Tierra, según el trozo de superficie que ilumina el Sol.

filosofía Estudio de la naturaleza fundamental del conocimiento, la realidad y la existencia.

filósofo de la naturaleza Denominación antigua de los actuales científicos.

fórmula Una relación o equivalencia matemática, expresada mediante símbolos.

formular Crear o preparar una cosa de manera metódica.

geometría La rama de las matemáticas que estudia las propiedades y las relaciones entre puntos, líneas, superficies y cuerpos.

glándula pineal Masa de tejidos, del tamaño de un guisante, en el interior del cerebro.

graduado/a Persona que ha terminado con éxito un grado académico.

gravedad La fuerza que atrae un cuerpo hacia otro.

guerra civil Una guerra entre personas del mismo país.

infinito Sin límite o final en espacio, extensión o dimensiones.

lente Pieza de vidrio con las superficies curvadas que sirve para concentrar o dispersar los rayos de luz, utilizada en gafas, binoculares, telescopios y microscopios.

linterna Antiguamente, una fuente de luz fabricada con un junco untado con grasa animal.

materia Sustancia física.

mediana Cálculo del valor medio de una serie de números.

microscópico Tan pequeño que solo es visible con un microscopio.

molino de agua Molino que se mueve gracias a una rueda impulsada por una corriente de agua.

monarquía Forma de gobierno dirigida por un monarca, un rey o una reina.

mortero y macilla La macilla es una pieza fuerte con un extremo redondeado que se utiliza para moler sustancias como las medicinas. Se muelen dentro de un mortero, que es un recipiente de madera, piedra o cerámica.

óptica Estudio científico de la luz y su comportamiento.

partícula Una porción de materia diminuta.

péndulo Peso que cuelga de un punto fijo que le permite oscilar libremente, especialmente una vara con un peso en el extremo inferior, que regula el mecanismo de un reloj.

percepción La facultad de notar algo a través de los sentidos.

peste Enfermedad infecciosa mortal.

pluma Utensilio antiguo para escribir, hecho con una pluma grande del ala o la cola de un ave, con la punta cortada y afilada.

Parlamento Asamblea que, en Inglaterra, ahora Gran Bretaña, promulga las leyes del país.

proporcional Que se corresponde en dimensiones y cantidad con alguna otra cosa.

pruebas matemáticas Series de etapas que sirven para resolver un problema matemático.

purgar Expulsar a un grupo de gente indeseable de un lugar o una organización.

rectoría Casa donde vive el párroco de una parroquia.

refracción Proceso mediante el que un rayo de luz cambia de dirección al atravesar el agua, el aire o el vidrio desde un ángulo determinado.

reloj de sol Instrumento para medir el tiempo. El sol proyecta la sombra de una aguja sobre una superficie con las horas del día.

retina Capa de tejido en la parte posterior del globo ocular, con células sensibles a la luz. Las células envían impulsos nerviosos al cerebro, donde se forman las imágenes visuales.

sifón Tubo utilizado para hacer subir un líquido desde un depósito y hacerlo bajar a otro recipiente; por ejemplo, para sacar agua de un pozo.

subsistir Pasar una persona con poca cosa, como, por ejemplo, comida, dinero y un lugar para vivir.

teología Estudio de la naturaleza de Dios y de las creencias religiosas. Estudio de las divinidades y las religiones.

teorema Afirmación demostrada por varios razonamientos.

translúcido/a Dicho de un material que deja pasar la luz, pero no las imágenes de forma nítida.

trigonometría Rama de las matemáticas que estudia las relaciones entre los lados y los ángulos de los triángulos.

ÍNDICE ANALÍTICO

A
Aristóteles 66, 67, 68, 69, 113, 114, 125
átomos 69
Ayscough, Hannah 12, 61
Ayscough, Margery (abuela materna de Newton) 7, 11, 20, 21, 25, 27, 83, 129
Ayscough, William (tío materno de Newton) 53, 61

B
Bacon, Francis 49, 65
Barrow, Isaac 72, 73, 74, 77, 81, 85, 89, 103
Bates, John 49
Boyle, Robert 68

C
cálculo infinitesimal, *véase* método de fluxiones
Carlos I 14, 35, 73
Carlos II 73, 110
ciencia 34, 72, 81, 134
Clarke, William 27, 41, 59
Collins, John 104, 105
Copérnico, Nicolás 64, 66, 125
Cromwell, Oliver 14, 36, 73

D
dame school 26, 135

De Analysi 104, 105
Descartes, René 49, 68, 76, 91

E
Elementos de Euclides 74
epidemia 80, 81, 84, 89, 99, 130, 135
escuela de gramática 28, 41, 129

G
Galilei, Galileo 66, 68, 125
geometría 67, 88, 136
Grantham 26, 27, 28, 41, 43, 47, 48, 52, 54, 56, 67, 79, 129
gravedad 22, 72, 95, 97, 98, 99, 101, 109, 110, 124, 136
gravitación universal, ley de la 111, 113, 120, 131
griego (lengua) 29, 40, 75
guerra civil inglesa 65

H
Halley, Edmond 111, 114
Hobbes, Thomas 68
Hooke, Robert 93, 109, 112
Huygens, Christiaan 32

I
infinitesimal 1, 86, 101

J
Jaime II 116

K
Kepler, Johannes 66, 86, 91, 125
King's School, Grantham 129, 130

L
latín (lengua) 28, 34, 38
Luna 66, 94, 95, 97, 98, 101, 111, 136
luz y color 1, 5, 40, 71, 92, 93, 101, 108, 109

M
mansión Woolsthorpe 5, 7, 126, 129, 130
manzano (de la mansión Woolsthorpe) 101, 110, 124
matemáticas 1, 34, 40, 67, 72, 73, 76, 81, 87, 101, 103, 104, 105, 106, 114, 120, 130, 134, 136, 138, 139
método de fluxiones 89, 101, 103, 104, 114, 132
Moneda Real 115, 116, 117, 118, 120, 132
Montagu, Charles 115
movimiento, leyes del 1, 131

N
Newton, Isaac
    becario 64, 130
    caballero 117, 120, 133
    construcción de juguetes, modelos y máquinas 26
    educación 1, 34, 56, 64
    estudiante de segunda 64, 74, 130
    experimentos 40, 43, 49, 83, 92, 98, 101, 107
    graduado 83
    granjero 53, 54, 61, 83
    guardián de la Moneda Real 115, 120, 132
    hermanastros 26
    lecturas 51, 69
    linterna 44, 46, 47, 48, 79
    maestro de la Moneda Real 117, 118, 132
    miembro de la Royal Society 131
    modelo de molino de viento 28, 30, 31, 33
    muerte 1
    nacimiento 1, 7
    pintadas 35
    presidente de la Royal Society 117, 132
    profesor de Matemáticas
    profesor del Trinity College, Cambridge 104, 130
    Quaestiones quaedam philosophicae 68
    reloj de agua 33, 41, 67
    reloj de sol 41, 139
    trabajo en la farmacia 27, 28
Newton, Isaac (padre de Newton) 7, 12, 23, 49, 129

O
ojos y visión 89, 90
óptica 108, 109, 120, 130, 132, 137

P
Platón 69, 114
Principia 112, 114, 115, 120, 131,
    133
prisma 91, 92, 101
puritanos 36

R
relojes 32, 50
Revolución Gloriosa 116
Royal Society 105, 109, 111, 117,
    131, 132

S
Smith, reverendo Barnabas 7,
    8, 11

Stokes, Henry 35, 40, 48, 51, 56,
    57, 60, 61, 72
Storer, Arthur 27, 34, 37, 38,
    48, 60
Storer, Edward 27, 34, 48
Storer, Katherine 27, 59, 106

T
taquigrafía 39, 40
telescopio reflectivo 109, 120,
    131
The mysteries of Art and
    Nature, de John Bate 49, 50
Trinity College, Cambridge 1,
    53, 58, 61, 64, 67, 99, 103, 104,
    115, 117, 120, 130

U
Universidad de Cambridge 53,
    72, 81, 83, 130, 131

ÍNDICE

Introducción. 15 de abril de 1726 5

Capítulo 1. 1651 11

Capítulo 2. 1655 25

Capítulo 3. 1658 43

Capítulo 4. 1661 63

Capítulo 5. 1665 83

Capítulo 6. 1667 103

Epílogo. 15 de abril de 1726 123

CRONOLOGÍA 129

GLOSARIO 134

ÍNDICE ANALÍTICO 140

Marie Curie y la radioactividad
de Ian Graham
Dibujos de Annaliese Stoney
ISBN: 978-84-9142-409-3

¡Acompañamos a la famosa científica Marie Curie en sus increíbles aventuras!

Marie Curie descubrió la radioactividad y utilizó sus estudios para salvar vidas durante la Primera Guerra Mundial y para aprender los secretos del mundo natural. ¿Quieres saber más sobre ella?